Cook Memorial Public Library

3 1122 01355 4436

FEB 2 5 2015

S0-ARD-918

Insectos Fascinantes

Las libélulas

Aaron Carr

COOK MEMORIAL LIBRARY DISTRICT
413 N. MILWAUKEE AVE.
LIBERTYVILLE, ILLINOIS 60048

SPANISH & ENGLISH eBOOKS
AV2 BY WEIGL™
ADDED VALUE · AUDIO VISUAL

www.av2books.com

El enriquecido libro electrónico AV² te ofrece una experiencia bilingüe completa entre el inglés y el español para aprender el vocabulario de los dos idiomas.

This AV² media enhanced book gives you a fully bilingual experience between English and Spanish to learn the vocabulary of both languages.

Visita nuestro sitio **www.av2books.com** e ingresa el código único del libro.
Go to www.av2books.com, and enter this book's unique code.

CÓDIGO DEL LIBRO
BOOK CODE

W 2 5 1 7 6 2

AV² de Weigl te ofrece enriquecidos libros electrónicos que favorecen el aprendizaje activo. AV² by Weigl brings you media enhanced books that support active learning.

Spanish   **English**

Navegación bilingüe AV²
AV² Bilingual Navigation

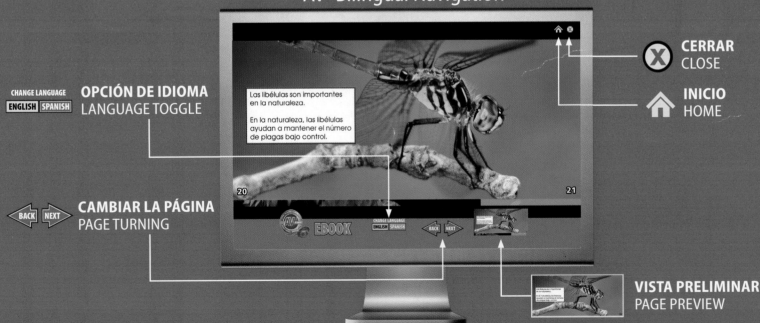

CHANGE LANGUAGE
ENGLISH SPANISH
OPCIÓN DE IDIOMA
LANGUAGE TOGGLE

BACK NEXT
CAMBIAR LA PÁGINA
PAGE TURNING

Las libélulas son importantes en la naturaleza.

En la naturaleza, las libélulas ayudan a mantener el número de plagas bajo control.

CERRAR
CLOSE

INICIO
HOME

VISTA PRELIMINAR
PAGE PREVIEW

Copyright ©2015 AV² de Weigl. Library of Congress Cataloging-in-Publication Data se encuentra en la página 24.
Copyright ©2015 AV² by Weigl. Library of Congress Cataloging-in-Publication Data is located on page 24.

2

Las libélulas

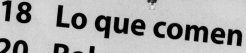

CONTENIDO

3

Conoce a la libélula.

Las libélulas son insectos.
Tienen cuerpos largos y coloridos.

Se pueden encontrar libélulas en todas partes del mundo.

En todas partes del mundo, las libélulas viven cerca del agua.

Las libélulas nacen cuando salen de sus huevos.

Cuando salen de sus huevos, las libélulas viven bajo del agua.

Las libélulas viven la mayor parte de sus vidas debajo del agua.

Bajo del agua, las libélulas comen y se desarrollan hasta que están listas para vivir en la tierra.

Las libélulas tienen dos pares de alas de gran tamaño.

Dos pares de grandes alas ayudan
a que las libélulas se puedan mover.

Las libélulas no pueden volar cuando tienen frío.

Cuando tienen frío reposan bajo la luz del sol hasta que entran en calor.

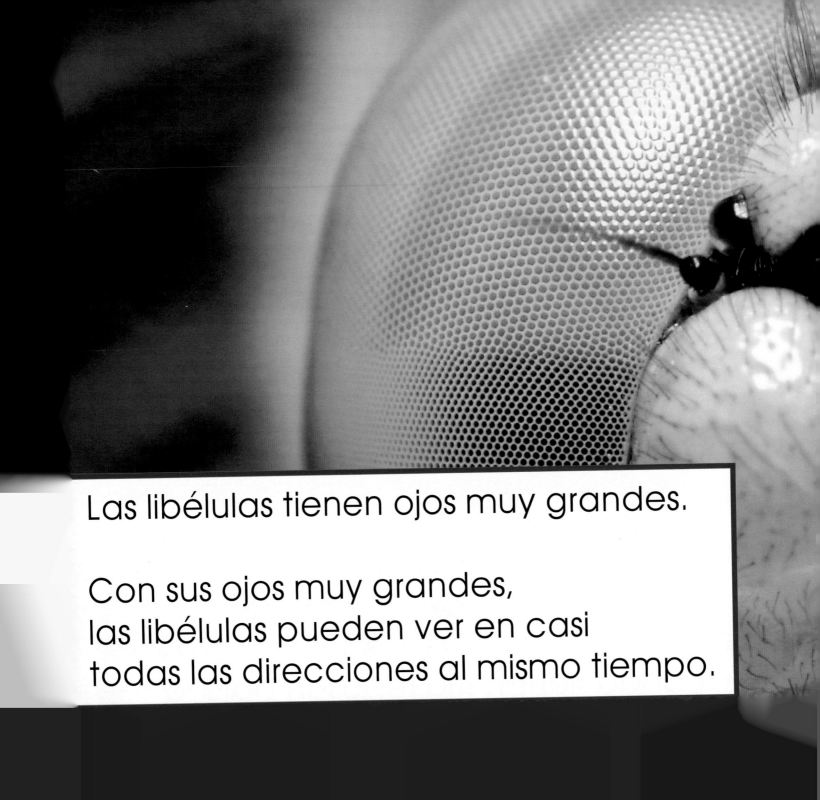

Las libélulas tienen ojos muy grandes.

Con sus ojos muy grandes,
las libélulas pueden ver en casi
todas las direcciones al mismo tiempo.

Las libélulas comen
insectos pequeños.

Comer insectos pequeños le brinda a las libélulas todo lo que necesitan para estar saludables.

Las libélulas son importantes en la naturaleza.

En la naturaleza, las libélulas ayudan a mantener el número de plagas bajo control.

21

DATOS DE LAS LIBÉLULAS

Estas páginas proveen más detalles acerca de los datos interesantes que se encuentran en el libro. Están destinadas a ser utilizadas por adultos como apoyo de aprendizaje para ayudar a los jóvenes lectores con sus conocimientos de cada insecto o arácnido presentado en la serie *Insectos Fascinantes*.

Páginas 4–5

Conoce a la libélula.

Las libélulas son insectos. Tienen cuerpos largos y coloridos.

Las libélulas son insectos. Los insectos son animales pequeños con cuerpos segmentados y seis patas articuladas. Poseen un tejido exterior llamado exoesqueleto, que se divide en tres partes: la cabeza, el tórax y el abdomen. Existen más de 5.000 especies de libélulas. Las libélulas tienen cuerpos largos y delgados que pueden medir hasta 6 pulgadas (15 centímetros) de largo. Sus cuerpos tienen una coloración muy brillante. Las libélulas pueden ser azules, verdes, rojas, amarillas, naranjas o marrones.

Páginas 6–7

Se pueden encontrar libélulas en todas partes del mundo.

En todas partes del mundo, las libélulas viven cerca del agua.

Se pueden encontrar libélulas en todas partes del mundo. Viven en todos los continentes excepto en la Antártida. Las libélulas se encuentran con más frecuencia cerca de cuerpos de agua dulce, como lagos, estanques y ríos. Las libélulas ponen sus huevos cerca de fuentes de agua dulce de movimiento lento, incluyendo pantanos y lodazales. Algunas especies ponen huevos en el agua. Otras ponen huevos en el lodo, cerca del agua e incluso otras sobre plantas acuáticas.

Páginas 8–9

Las libélulas nacen cuando salen de sus huevos.

Cuando salen de sus huevos, las libélulas viven bajo del agua.

Las libélulas nacen cuando salen de sus huevos. Las larvas de libélula viven en el agua después de eclosionar. Las libélulas jóvenes se llaman ninfas. Ellas mudan, o cambian su piel, varias veces en su etapas de desarrollos. Las ninfas respiran a través de branquias y se alimentan de insectos, renacuajos y peces pequeños. Cuando abandonan el agua, las ninfas mudan su piel una última vez. Su cuerpo largo y sus alas emergen durante esta muda. Después de esto, la libélula está completamente desarrollada como adulta.

Páginas 10–11

Las libélulas viven la mayor parte de sus vidas debajo del agua.

Bajo del agua, las libélulas comen y se desarrollan hasta que están listas para vivir en la tierra.

Las libélulas viven la mayor parte de sus vidas debajo del agua. Dependiendo de su especie, pueden pasar algunas semanas o años viviendo bajo el agua como ninfas. Las ninfas respiran a través de branquias ubicadas cerca de su cola. Las ninfas hacen ingresar agua a sus cuerpos por medio de estas branquias. En casos de emergencia, pueden volver a expulsar el agua hacia afuera muy rápidamente. La fuerza de esta acción empuja a la ninfa hacia adelante en el agua más rápidamente de lo que podría nadar.

Las libélulas tienen dos pares de alas de gran tamaño. Las alas de las libélulas suelen ser transparentes, pero tienen patrones de venas complejos. Su envergadura puede medir hasta 7 pulgadas (18 cm). Cuando no están volando, las libélulas extienden sus alas a los costados. Se suele confundir a las libélulas con zigópteros. Sin embargo, los zigópteros doblan sus alas a lo largo de sus cuerpos cuando no están volando. Además, todas las alas de las libélulas son del mismo tamaño, mientras que los zigópteros tienen dos alas grandes y dos más pequeñas.

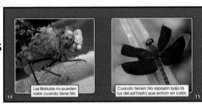

Las libélulas no pueden volar cuando tienen frío. Reposan bajo la luz del sol hasta que su temperatura aumenta lo suficiente como para volar. A veces, mueven sus alas rápidamente para crear calor. Una vez que su temperatura aumenta lo suficiente como para volar, las libélulas se encuentran entre los mejores voladores del mundo. Algunas libélulas pueden alcanzar velocidades de hasta 20 millas (30 kilómetros) por hora. Las libélulas también son muy ágiles. Pueden volar en línea recta hacia arriba o hacia abajo, flotar en el lugar, girar rápidamente e incluso volar hacia atrás.

Las libélulas tienen ojos muy grandes. Las libélulas tienen dos ojos compuestos. Estos ojos grandes cubren la mayor parte de la cabeza de la libélula y están compuestos por más de 30.000 lentes denominados omatidios. Las libélulas tienen una excelente visión. Pueden ver en una gama de colores más amplia que la de los humanos, y pueden ver en un ángulo de casi 360 grados. Los científicos creen que las libélulas pueden utilizar hasta el 80 por ciento de su cerebro para procesar la información de sus ojos.

Las libélulas se alimentan de insectos pequeños. Como carnívoras, las libélulas cazan insectos más pequeños, como mosquitos, moscas y pulgones. Emplean su velocidad y su visión aguda para capturar a sus presas. Las libélulas son los predadores más eficientes del reino animal, pudiendo atrapar a sus presas el 95 por ciento de sus intentos. Utilizan sus piernas para atrapar presas, que pueden ser de más de la mitad de su propio tamaño. Las libélulas obtienen la mayor parte del agua que necesitan de los alimentos que ingieren.

Las libélulas son importantes en la naturaleza. Como predadoras, las libélulas juegan un rol importante en el ecosistema en el que habitan. Las libélulas ayudan a controlar las poblaciones de muchos insectos que comparten sus hábitats. También son el alimento de predadores más grandes, como peces, patos y musarañas acuáticas. Los científicos consideran a las libélulas como especies indicadoras. Esto significa que estudian a las libélulas para determinar si los ecosistemas de pantanos o de agua dulce son saludables.

¡Visita www.av2books.com para disfrutar de tu libro interactivo de inglés y español!

Check out www.av2books.com for your interactive English and Spanish ebook!

1 **Entra en www.av2books.com**
Go to www.av2books.com

2 **Ingresa tu código**
Enter book code

W 2 5 1 7 6 2

3 **¡Alimenta tu imaginación en línea!**
Fuel your imagination online!

www.av2books.com

Published by AV² by Weigl
350 5th Avenue, 59th Floor New York, NY 10118
Website: www.av2books.com   www.weigl.com

Copyright ©2015 AV² by Weigl
All rights reserved. No part of this publication may be reproduced, stored in a retrieval system, or transmitted in any form or by any means, electronic, mechanical, photocopying, recording, or otherwise, without the prior written permission of Weigl Publishers Inc.

Library of Congress Control Number: 2014932954

ISBN 978-1-4896-2081-1 (hardcover)
ISBN 978-1-4896-2082-8 (single-user eBook)
ISBN 978-1-4896-2083-5 (multi-user eBook)

Printed in the United States of America in North Mankato, Minnesota
1 2 3 4 5 6 7 8 9 0 18 17 16 15 14

032014
WEP280314

Project Coordinator: Jared Siemens
Spanish Editor: Translation Cloud LLC
Art Director: Terry Paulhus

Every reasonable effort has been made to trace ownership and to obtain permission to reprint copyright material. The publishers would be pleased to have any errors or omissions brought to their attention so that they may be corrected in subsequent printings.

Weigl acknowledges Getty Images as the primary image supplier for this title.